Voorlezen doe je samen!

Dit boek is voor alle kinderen. Kinderen vinden dood een belangrijk onderwerp. Allemaal hebben ze ervaring met de dood: van familie of van een huisdier of een mier.

Het meisje Tara in dit boek vraagt zich van alles af over de dood. Geef je kind de tijd om te reageren op wat Tara zegt en voelt.

Je kunt je kind ook vragen stellen. Bijvoorbeeld: voelt bij jou verdriet net zoals bij Tara? Kun je verdriet zomaar vergeten? Heb jij ook iets bewaard van iemand die je voor altijd moet missen? Snap jij wat crematie is? Kinderen komen vaak met ongehoord mooie reacties.

Kijk op **www.leopold.nl**
voor een uitgebreide leesbrief en een kleurplaat bij dit boek.

•

Annemiek Neefjes

Annemiek Neefjes (journaliste en schrijfster) heeft twee jonge dochters en is leesmoeder in de klas. Haar oudste dochter had na de dood van opa talloze grote en kleine vragen. Het kon niet anders of het inspireerde de schrijfster bij dit boek.

Annemiek Neefjes

Een ballon voor opa

met illustraties van Alice Hoogstad

Leopold / Amsterdam

Copyright © tekst Annemiek Neefjes 2009

Copyright © illustraties Alice Hoogstad 2009

Omslagontwerp Petra Gerritsen

Opmaak binnenwerk Nancy Koot

Foto voorleesleeuw Jeroen Oerlemans, foto auteur Stefan Bödecker

NUR 281 / ISBN 978 90 258 5294 8

Inhoud

Opa mag geen drop

Opa Bart zit aan allemaal slangetjes vast.
Hij ligt in het ziekenhuis.
Tara komt bij hem op ziekenbezoek.
Ze klautert op de rand van zijn bed.
'Voorzichtig!' roept papa.
Tara heeft voor opa een zak drop meegenomen.
Drop vindt opa het lekkerste van de wereld.
Tara wil hem er eentje geven.
Maar van de zuster mag hij geen drop.
'Zielig voor je, opa,' zegt Tara.
Ze eet het dan maar zelf op.
Opa zegt: 'Als ik beter ben, gaan we samen weer naar zee.'
Tara knikt. 'Gaan al die slangetjes mee?' vraagt ze.
Opa lacht en kreunt dan, alsof iemand hem stiekem knijpt.
De zuster komt vertellen dat opa moet rusten.
'Nu al?' vraagt Tara verbaasd. 'Het is nog ochtend!'
Papa tilt haar van het bed af. Hij legt de zak drop op het kastje naast
het bed.
Tara zwaait naar opa maar hij heeft zijn ogen al dicht.
Ja, hij is vast moe.

Wat is er met opa?

6   's Middags gaat papa weer naar opa in het ziekenhuis.
'Zal ik een tekening voor hem maken?' vraagt Tara.
Ze tekent opa in bed, in een groot ziekenhuis met allemaal ramen.
En ze tekent Jopie de papegaai, met gele en groene veren.
Jopie is de papegaai van opa.

Mama heeft verteld dat opa zijn papegaai mist.
Dat snapt Tara wel. Jopie is ontzettend lief.
Als opa thuis is, zit Jopie soms op zijn schouder. Dan vertelt
opa spannende verhalen. Over toen hij nog piraat was. En over
piratenmeisje Woesja, die de dapperste was van iedereen.
Opa noemt Jopie zijn luisterpapegaai.
Nu logeert de luisterpapegaai bij de buren van opa.

Papa neemt Tara's tekening mee naar het ziekenhuis.
Wat zal ik nu gaan doen? denkt Tara. Poppenschooltje spelen?
Gekke bekken trekken voor de spiegel?
Ze kan niks leuks verzinnen.
Gelukkig mag ze van mama televisie kijken.

Af en toe belt papa naar huis.
Mama's stem klinkt dan ernstig.
'Wat is er toch met opa?' vraagt Tara.
Mama zet de televisie uit.
Ze vertelt Tara een verhaal over zieke cellen of zoiets.
'Maar dan neemt hij toch een pilletje?' vraagt Tara.
'Dat helpt niet,' zegt mama. 'Niets helpt.'
'Ook niet als ik een gek rijm voor hem maak?' vraagt Tara.
'Dat kun je altijd proberen,' zegt mama.
'Opa Bart valt op zijn gat,' rijmt Tara. Ze grinnikt.
'Papa moet het rijm aan opa vertellen,' zegt ze.

Tranen

8 De telefoon gaat.
Mama staat op om hem te pakken.
'Ach nee,' hoort Tara haar zeggen. En: 'Mijn lieverd toch.' Haar stem
klinkt raar, alsof er barstjes in zitten.
Stil zit Tara op de bank.
Mama legt de telefoon neer.
Ze komt naar Tara toe en neemt haar op schoot.
Tara zegt: 'Opa is dood, hè?'
Mama begint te huilen.
Tara ook. Uit haar neus loopt snot.
Met de mouw van haar trui veegt ze haar neus schoon.

Na een tijdje stoppen de tranen vanzelf.
Maar het rare is: even later komen ze weer.
Als ik gevallen ben en ik heb bloed, huil ik ook, denkt Tara, maar dat
voelt heel anders.
Ze kruipt dicht tegen mama aan.
'Wat ís dood eigenlijk?' vraagt ze na een tijdje.
'Dood is dat je hart met kloppen stopt. Dan doet niks het meer,' zegt
mama.
Tara denkt na.
'Kan opa nog wel lachen?' vraagt ze.
'Dat zou ik wel willen,' zegt mama en ze streelt Tara's haar.
Ze gaan aan de keukentafel zitten.
Tara drinkt een beker sap.

'Hoe láng blijft opa eigenlijk dood?' vraagt ze.
'Dood is voor altijd,' zegt mama.
Boven Tara's neus komt een rimpeltje.
'Altijd' vindt ze een moeilijk woord.

Ze denkt: wat is er nog meer 'altijd'?
Dan weet ze het.
Ze zegt: 'Dood is dus een soort verhuizen. Opa Bart is weg en hij
komt nooit meer terug.'
'Ja,' zegt mama. 'Zo is het.'
'Maar als opa nooit meer terugkomt, waar blíjft hij dan?' vraagt ze.
'Waar is opa nu?'
'Opa is nu in het ziekenhuis,' zegt mama. 'Maar hij kan niets meer
en hij voelt niets meer.'
'Maar...' zegt Tara.
Dan gaat de telefoon weer.
'Even wachten,' zegt mama. Ze loopt naar de gang om daar te praten.
Tara kijkt de keuken in.
Niets beweegt, denkt ze.
De lamp niet en het pannetje op het aanrecht niet en de bloemen in
de vaas niet.
Ineens stromen de tranen over haar wangen.
'Mama!' roept ze. 'Mama! Kom!'
Mama komt aangerend.
Altijd moet mama bij haar in de buurt blijven.

Opa's stekeltjes

10 Mama geeft Tara een kus op haar neus en haar oor en haar kin.
Dan zegt ze: 'Ik moet nu echt wat mensen bellen. Ga maar iets doen.'
Tara loopt naar de huiskamer. Ze gaat op de bank liggen.
Ze denkt aan opa, aan lieve opa Bart.
Soms mocht ze met hem mee in zijn blauwe auto met open dak, lekker in de wind, samen naar het strand.
Dan zochten ze een piratenschat.
Daarna dronken ze wat op een terras: zij chocomel en opa cola.
Op het terras vroeg opa een keer: 'Wanneer kom je nou bij me wonen?'
Maar opa was al oud en zijn huis was klein, dus dat kon helemaal niet.
Tara lachte en zei: 'Kom jij maar bij mij wonen.'
Maar dat vond opa zielig voor Jopie de papegaai.
Als opa haar weer thuisbracht, maakte hij een buiging.
Hij rijmde: 'Dag lieve meid majesteit.'
Dan gaf hij haar een handkus. Dat deed hij áltijd.
Nu is het of Tara de stekeltjes van opa's kin op haar hand voelt kriebelen.
Ze glimlacht en dan ineens voelt ze weer tranen.

Tara kijkt naar buiten.
De lucht is vol donkergrijze wolken.
Vogels zweven hoog op de wind.

Zou opa naar de hemel gaan? denkt ze.

Laatst had ze een film gezien over een jongetje; zijn vader was doodgegaan. Op een nacht zag het jongetje zijn vader fietsen tussen de sterren.

Tara kijkt nog eens goed naar de lucht.

Zou ze opa Bart misschien door de lucht zien racen in zijn sportauto?

Maar ze ziet hem niet.

De hemel

'Mama, gaat opa naar de hemel?' roept Tara.

Mama is nog steeds aan de telefoon.

'Gaat opa naar de hemel?' roept Tara en dan komt mama eindelijk.

'Ik weet het niet,' zegt mama, 'misschien.' Ze haalt haar schouders op.

Als Tara wil weten hoeveel honderd miljoen plus honderd twintig duizend is, weet mama het antwoord precies.

En als ze mama vraagt hoeveel minuten de nacht duurt, weet ze het ook.

Maar ze weet dus niet eens of opa naar de hemel gaat.

'Wat denk jij?' vraagt mama.

'Ik denk van wel,' zegt Tara.

Zou opa haar kunnen zien vanuit de hemel?

Of zou hij er nog niet zijn?

En waar in de hemel gaat opa wonen?

Tara kijkt weer naar buiten en voor het eerst ziet ze hoe groot de lucht is.

In de hemel kun je natuurlijk overál wonen, denkt ze.

Zou opa haar vanuit de hemel kunnen horen?

En steeds antwoordt mama: misschien dit of misschien dat.

'Niemand weet of de hemel bestaat,' zegt mama. 'Alleen de mensen die dood zijn.'

Ze vertelt dat in sommige landen mensen geloven dat je iets anders wordt als je doodgaat.

Een bloem of een vlinder of een oude, knoestige boom.

Die grote opa Bart die ineens een vlinder is: daar moet Tara wel een beetje om lachen.

Dan zegt ze: 'Ik wil naar buiten, naar het park. Ik wil met opa Bart praten.'

'Kan dat niet binnen?' vraagt mama. 'Het is zo koud buiten.'

Tara schudt haar hoofd. 'Als ik binnen iets tegen opa zeg,' legt ze uit, 'dan kan hij mij natuurlijk niet horen.'

Ze loopt al naar de gang. Ze doet haar jas en haar laarzen aan.

'Kom mam, we gaan. En ik wil ook naar de speeltuin!'

Met grote stappen loopt ze de deur uit.

'Ik kom al,' zegt mama.

Omhóóg kijken

16   'Lieve opa!' roept Tara in het park. 'Ik mis je! Mis je mij ook?'
Opa geeft geen antwoord maar dat kan Tara niks schelen.
Het is prettig om tegen hem te praten.
Nu vindt ze dat mama wat moet roepen.
'Hallo opa!' roept mama. 'Laat je wel af en toe je bromstem horen?'
'Je doet het niet goed,' zegt Tara streng tegen mama. 'Je moet
omhóóg kijken.'
Dan roept Tara weer wat en dan mama weer. Ze roepen iets over
opa's auto, over de cadeautjes die hij altijd meenam, over de rijmen
die hij maakte. 'Opa, ken je deze nog?' vraagt Tara.

'Meneertje Kaassoufflé
gaat in de zomer naar zee
met buurvrouw Frika Del Dee
en Zak Patat mag ook mee.

Samen bakken ze in het zand
tot ze bruin zijn en krokant
alleen Frika Delletje verbrandt –
want die vergat de zonnebrand!'

Mama en Tara lachen.
Dan zegt Tara: 'Wie het eerst in de speeltuin is!'
Ze rent naar de zandbak. Ze gaat zandtaartjes bakken.
Daarna schommelt ze op de schommel. Ze klimt in het klimrek.

Ze durft zelfs met haar benen aan het rek
te hangen, met haar hoofd omlaag.
Als ze duizelig wordt, gaat ze snel op haar
benen staan.
Ze huppelt naar mama en zegt: 'Weet je, ik
heb zomaar even niet aan opa gedacht!'
Voor mama antwoord geeft, rent Tara
alweer weg, naar de kabelbaan.

Aan de rand van de zandbak staat mama aan
de telefoon. Als ze haar mobieltje in haar tas stopt, roept
ze Tara.
'We gaan,' zegt ze. 'Papa komt zo thuis.'

'Is papa verdrietig?' vraagt Tara als ze teruglopen.
'Ja,' zegt mama, 'papa moest huilen. Net als jij kan hij niet geloven
dat opa Bart dood is.'
Hand in hand lopen ze door het park.
Onder hun voeten knisperen de bladeren.
'Zullen we straks patat eten?' vraagt mama.
'Patat! Ja!' roept Tara.

In de snackbar doet mama de bestelling.
Op de toonbank ziet Tara grote, kleurige lollies.
'Mag ik er een?' vraagt ze met haar liefste stemmetje.
'Een lolly?' zegt mama. 'Hoezo? Die mag je nooit.'
'Toe nou,' smeekt Tara. 'Omdat opa dood is dan.'
Mama lacht. Maar het mag niet.

Naar bed

Tara en mama komen thuis met de patat. Papa is er al.

'Moest je huilen?' vraagt Tara meteen.

Papa knikt. Hij heeft rode vlekken in zijn gezicht.

Mama omhelst papa. Ze kussen elkaar.

Tara kruipt tussen hen in.

Dan gaan ze patat eten.

Mama eet maar een half bordje. Tara heeft eigenlijk ook niet zoveel trek. Maar papa heeft juist reuze honger. Hij eet de zak helemaal leeg.

Ondertussen praten papa en mama. Over rouw, crematie en condo-nog-wat.

Tara roept: 'Wat bedoelen jullie toch?'

Mama zegt: 'Morgen praten we verder, nu moet je naar bed.'

Maar Tara wil niet naar bed.

Ze schrikt er zelf van.

Ze houdt er altijd van om lekker warm onder haar dekbed te liggen, met witte en bruine beer dicht tegen zich aan.

Maar nu wil ze niet.

Nee, ze wil echt niet.

'Wat is dat nou?' vraagt papa.

'Ik wil bij jullie blijven,' zegt Tara.

Ze kruipt bij papa op schoot.

'Kan opa Bart ons nu zien?' vraagt ze.

'Nee, gekkie,' zegt papa.

'Maar hoe weet je dat?' vraagt Tara.

Ze weet al wat hij gaat zeggen. En ja hoor, papa zegt precies hetzelfde als mama vanmiddag zei.

Hij zegt: 'Ik weet het niet zeker.'

Nou, aan papa heeft ze ook al niks.

Tara wil weten hoe opa Bart er dood uitzag.

'Hij eh...' zegt papa. 'Hij zag wit. En hij lag heel stil.'

'Alsof hij slaapt?' vraagt Tara.

'Nee, niet alsof hij slaapt, want hij ademde niet meer. Hij lag zo stil als een steen.'

'Ik wil niet slapen,' zegt Tara. 'Dan word ik ook zo stil als een steen.'

'Probeer het dan eens?' vraagt papa. Hij tilt Tara van zijn schoot.

Tara gaat op de grond liggen. Ze knijpt haar ogen stijf dicht, van haar mond maakt ze een streepje en ze houdt haar armen en benen zo recht als een plank.

Nu ben ik dood, denkt Tara. Mijn handen zijn dood en mijn tenen en ook mijn haren.

Ze houdt haar adem stil.

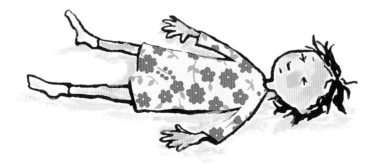

Dan begint papa haar te kietelen.

Tara doet haar best om stokstijf te blijven liggen. Maar haar mondhoeken krullen en dan gilt ze van pret.

'Zie je wel,' zegt papa lachend. 'Jij kunt helemaal niet stil blijven liggen.'

'Toch wil ik niet slapen,' houdt Tara vol.

Papa loopt met Tara naar de badkamer. Ze wast zich en poetst haar tanden.

Dan trekt ze haar nachtjapon aan.

Papa legt haar in bed en aait haar rug. Ondertussen vertelt hij een verhaaltje over kabouter Dobbel, die zo dik is dat hij steeds omrolt.

'Papa,' zegt Tara, 'ik vind het zielig voor Jopie de papegaai. Die mist opa vast.'

'Ja, dat is zo,' zegt papa.

'Zal ik Jopie nooit meer zien?' vraagt Tara.

Papa zegt: 'Dat weet ik niet, hoor.'

'Jopie is leuk. Hij zegt altijd: "Lekker koppie thee... Krauw krauw. Lekker koppie thee..."'

Tara hoort papa grinniken.

'Ga nu maar lekker slapen,' zegt hij.

'Lekker koppie thee...' doet Tara nog eens.

'Krauww krauauww... Lek... kker kop... pieie...'

Tara slaapt.

De neus van opa

Tara wordt vroeg wakker.

Ze ligt tussen papa en mama in bed.

Ze weet nog dat ze vannacht een enge droom had. Over een zwarte spin die op haar kroop en haar wilde opeten. Ze was huilend wakker geworden.

Toen mocht ze in het grote papa-en-mama bed, lekker warm.

Tara ligt op haar zij. Ze kijkt naar papa's gezicht.

Hoe kan dat nou? denkt ze ineens. Het is net of ik iets van opa zie.

Ze kijkt nog eens goed.

Dan weet ze het: papa's neus is krom. Precies zoals die van opa.

Precies zoals de neus van een zeerover.

Tara sluipt uit bed en loopt naar de badkamer.

Ze kijkt in de spiegel. Ze draait haar hoofd naar links en naar rechts.

En jawel: zij heeft een kléíne zeeroversneus.

'Tará tará ik lijk op opa,' zingt ze en ze huppelt terug naar de slaapkamer.

'Ssssst...' fluistert papa.

Tara kruipt weer in bed en dommelt in slaap.

Na een tijdje wordt Tara wakker van gerikketik tegen het raam.

Het regent, denkt ze, maar opa wordt daarboven lekker toch niet nat.

Ze hoort papa in de badkamer.

Ze gaat uit bed.

Papa scheert zich.

'Waarom slaap je niet uit?' vraagt Tara. 'Het is toch zondag?'

Papa zegt dat hij naar oom Frans moet. Ze gaan een kaart maken waarop staat dat opa Bart dood is, dan weet straks iedereen het.

'Wat waren die woorden nou, die jullie gisteren zeiden?' vraagt Tara.

'Welke woorden?' vraagt papa. Hij trekt een gekke bek in de spiegel.

'Crom... crom dinges.'

'O, dat,' zegt papa. 'Moet je dat nou wel weten?'

Hij loopt naar de slaapkamer om zich aan te kleden.

Tara loopt achter hem aan.

'Nou?' vraagt ze.

'Bedoel je crematie?' vraagt papa. 'Crematie is eh... dat je lichaam wordt verbrand. Opa wordt gecremeerd. Sommige dode mensen worden begraven, dat kan ook.'

Hij gaat naar beneden. Tara loopt achter hem aan.

'Opa in een vuur,' zegt ze, 'dat is toch zielig?'

'Opa voelt het niet,' zegt papa, 'want hij is dood. En nu moet ik weg.'

'Toch vind ik het zielig,' zegt Tara.

Een ballon voor opa

Tara eet een beschuit en mama een eitje.

De deurbel gaat.

'Dat is Philippine!' roept Tara.

Op zondag komt het buurmeisje vaak spelen.

Tara doet open. 'Opa Bart is dood!' roept ze gelijk.

'Dat weet ik al, hoor,' zegt Philippine. 'Dat heb ik van mijn moeder gehoord.'

'O,' zegt Tara teleurgesteld.

'Moest jíj huilen?' vraagt Tara.

Philippine haalt haar schouders op. Ze weet van opa Bart alleen dat zijn haar omhoog stond, net als gras, maar dan dus grijs gras.

'Je opa ligt nu zeker al onder de grond?' vraagt Philippine.

'Nee hoor,' zegt Tara. 'Hij wordt niet begraven, hij wordt gecrom … gecram …'

'Gecremeerd,' zegt mama.

'Ja,' zegt Tara, 'dan ligt hij in een donkere kist en dan wordt hij verbrand, met een groot vuur. Maar hij voelt er niets van, hoor. En dan gaat zijn asfalt in een vliegtuig en dan wordt het hoog in de lucht gegooid.'

Philippine luistert met grote ogen. Zoiets heeft ze nog nooit gehoord.

'Mag ik mee naar de crommatie?' vraagt Philippine.

Ze heeft er echt zin in.

'De crematie is niet vandaag, die is woensdag,' zegt mama.

'Ik wil niet mee,' beslist Tara.

'Je ziet niet dat opa's lichaam in het vuur is, hoor,' zegt mama.
Maar Tara schudt haar hoofd. 'Ik wil niet mee,' herhaalt ze.
'Kom, we gaan spelen,' zegt Philippine.
'Zullen we een tekening voor opa maken?' vraagt Tara.

'Maar hoe krijgt hij die?' vraagt Philippine.
Allebei denken ze diep na.
'Ik weet het!' roept Tara. 'We hangen de tekeningen aan een ballon
en dan gaan de ballonnen in de lucht.'
'Zullen we dat op het strand doen?' vraagt mama. 'Opa hield van
strand.'
'Ja!' roepen Tara en Philippine tegelijk. Ze dansen door de kamer.
Ze zingen: 'Een ballon voor opa! Een ballon voor opa!'
En ze gaan gelijk aan de slag.

Als papa thuiskomt, zegt hij dat hij ook mee wil.
De tekeningen zijn klaar.
'We komen eraan, opa!' roept Tara.

Op het strand

Vier koude neuzen staan op het strand.
Het waait en het miezert.
Op de boulevard hebben ze twee rode, hartvormige ballonnen
gekocht.
'Een hart voor opa Bart,' rijmt Tara.
Tara en Philippine houden het touwtje van hun ballon stevig vast.
Papa knoopt er de tekeningen aan.
'Wat vrolijk,' zegt een mevrouw, 'er is er zeker een jarig!'
Die mevrouw ziet niet eens dat ik verdriet heb, denkt Tara.

Ze lopen tot vlak bij de zee.
De ballonnen spartelen in de wind.
'Als het maar goed gaat,' zegt mama bezorgd. 'Straks vliegen de
ballonnen tegen de duinen aan.'
'Ik tel tot drie,' zegt papa, 'en dan laten jullie hem allebei los.'
Tara voelt nog snel of haar tekening stevig vastzit.
Ze heeft opa in zijn blauwe sportauto getekend. De auto heeft
vleugeltjes. De wielen zijn van drop. En ze heeft gerijmd: 'Opa Bart
reit reuse hart.'
Philippine heeft opa met hoog haar getekend.
'Een, twee, drie...!' roept papa en daar gaan de ballonnen.
Met een vaart schieten ze de lucht in.
Hoger en hoger zweven ze.
O, wat ziet het er mooi uit.
Nu zijn de ballonnen al boven de duinen.

De wind blaast ze nóg verder en hoger.
Tara en Philippine zwaaien naar de rode stippen.
'Opa, ik mís je!' roept Tara zo hard mogelijk.

De wind neemt haar woorden mee.

Philippine doet een handstand.
Tara maakt een koprol in het zand.
En dan spelen ze tikkertje.
Ze rennen met wiekende armen.
Ze buitelen over elkaar heen.
Mama en papa staan dicht bij elkaar naar de zee te kijken.
Tara komt met hoge sprongen op ze af.
'Ik weet heus wel waar jullie aan denken, hoor!' roept ze.
'O ja?' vraagt papa. 'Waaraan dan?'
'Aan opa!' roept Tara.
'En waar denk jij dan aan?' wil papa weten.
Tara draaft weg en roept: 'Dat zeg ik lekker niet!'

Op school

32 Mama brengt Tara naar school.
Tara weet al wat juf Saskia straks zal vragen: 'Hoe was jullie weekend?'
Ze vindt het ineens geen leuke vraag meer.
Ze wil niet vertellen over opa Bart.
Haar buik voelt raar.

Maar juf Sas vraagt helemaal niets.
Ze vertelt over haar poes Doris, die dertien jaar oud is geworden.
Vorig jaar is hij doodgegaan.
En nu heeft de juf een foto van de poes thuis op haar nachtkastje staan.
Elke avond praat ze even met hem.
Joris vertelt dat zijn goudvis Toppie dood is. En dat zijn moeder toen een nieuwe goudvis voor hem heeft gekocht en die heet Floppie.
Tjietske vertelt dat ze wel eens een dood kikkertje heeft gezien, in het bos.
En ineens vertelt Tara over opa Bart en over de ballonnen met de tekeningen.
Walter zegt dat zijn opa ook dood is en dan zegt Fleur dat haar oma dood is.
Wubbe vertelt dat lang geleden het baby'tje van zijn tante dood is gegaan.
Dan zegt niemand wat.

Tara vraagt: 'Kan iedereen zomaar doodgaan?'
Alle kinderen kijken naar juf Saskia.
Zou zij dat weten?

'Vooral oude mensen gaan dood,' zegt de juf. 'Die hebben al lang geleefd. Ze zijn versleten. Ze maken plaats voor nieuwe mensen, anders zou het wel vol op de wereld worden. Maar heel soms gaat er een jong iemand dood.'
'Ja,' zegt Claire, 'als er een auto over je heen rijdt.'
'Of als je van de trap valt,' zegt Vranke.
'Nee hoor, dan niet,' zegt Soumia.
'Of als ik schiet!' roept Jona.
'Nou nou,' zegt de juf.

'En een steen, kan die dood?' vraagt Walter.
Tara weet het niet.
Zou een steen naar de hemel kunnen?
Alle kinderen roepen 'ja' en 'nee' door elkaar.
Juf Saskia zegt: 'Iets kan alleen dood gaan als het eerst levend was. Is een steen levend?'
Walter zegt: 'Nee, want een steen kan niet rennen, dus dan leef je niet.'
'Dan wil ik geen steen zijn,' zegt Joris.
'Maar een steen gaat niet dood, dat is weer zijn geluk,' vindt Tara.
Ze probeert zich grijs en stil te voelen.
Drie, twee, één: nu ben ik een steen, denkt ze.
Maar dan trekt er iemand aan haar mouw.
'Zullen we aan de zandtafel spelen?' vraagt Claire.

'Tuurlijk!' roept Tara.
Ze springt op van haar stoel.
Ze wil toch maar geen steen zijn.

Jopie

's Middags haalt papa Tara van school.
Hij zegt: 'Thuis wacht er iemand op je.'
'Is opa Bart terug?' vraagt Tara blij. 'O nee,' zegt ze dan, 'dat kan helemaal niet.'
In een herfstzonnetje lopen ze naar huis.
'Vertel nou wie er is,' bedelt Tara.
Papa lacht: 'Wacht maar tot we thuis zijn.'

Als papa de voordeur opendoet, hoort Tara een krassend geluid.
Wat is dat nou? Het komt uit de keuken.
Het is geen stem.
Maar wat is het dan wel?
Tara kijkt papa vragend aan.
'Ik verklap niets, hoor,' zegt hij.
Dan hoort Tara: 'Lekker koppie thee! Krauw krauw!'
'Jopie!' roept ze.
Ze stormt naar binnen.

Door de spijltjes van de kooi kriebelt Tara Jopies nek.
Papa zet thee en pakt de koektrommel.
'Kom maar, luisterpapegaai,' zegt Tara, 'je krijgt wat lekkers.'
Ze voert Jopie kruimeltjes koek.
Dan opent ze de kooi.
Ze zegt wat opa ook altijd tegen Jopie zei: 'Kom eens hier, lekker dier!'

En jawel hoor. Jopie fladdert uit de kooi en gaat op de schouder van
Tara zitten.
Precies zoals hij vroeger op opa's schouder zat.

Tara grinnikt.
'Pas je wel op met je nagels?' vraagt ze.

Tara vertelt Jopie over opa Bart: over zijn gekke rijmen, over zijn
blauwe auto die hij op zaterdag poetste, over dat hij iedere dag drie
glazen cola dronk.
En helemaal nooit een koppie thee.
'Nu is opa daar,' zegt ze en ze wijst met haar vinger in de lucht.
'Krauw krauw,' krast Jopie.
Hij houdt zijn kopje scheef.
'Jopie,' zegt Tara zacht, 'wat heerlijk om met je over opa te praten.
Ik weet nog veel meer, hoor. Wil je mijn verhalen horen?'
'Lekker koppie thee!' antwoordt Jopie.
Tara lacht en aait zijn zachte veren.
'Luister dan maar,' zegt ze.

Dappere Tara

Het is woensdagmiddag.
Straks wordt opa gecremeerd.
'Wil je echt niet mee?' vraagt mama.
Tara schudt haar hoofd.
'Ik blijf bij Jopie,' zegt ze. 'Jopie moet straks naar de
papegaaienschool en ik ben de juf.'
Papa en mama gaan weg.

Tara haalt Jopie uit zijn kooi.
Ze gaat aan de keukentafel zitten met Jopie op haar schouder.
'O-p-a,' zegt ze tegen hem, 'zeg maar o-p-a.'
'Krauw krauw.'
'Probeer het nog maar eens,' zegt Tara geduldig. 'O-p-a.'
'Krauw krauw.'
'Bijna goed,' zegt de papegaaienjuf. 'Nu is het tijd voor een verhaal.'

Tara vertelt over opa.
Ze wist niet dat ze zoveel over hem wist.
Steeds komt er weer een ander verhaal in haar hoofd.
'Jopie,' zegt ze, 'opa was vroeger piraat. Ik word later ook piraat, en jij
ook. We noemen ons schip "Opa Bart". Wij zijn de dappersten van
iedereen. Dapper is belangrijk, zei opa altijd.'
Ze kijkt naar een foto van opa, die op de tafel staat.
'Opa,' fluistert ze, 'heb je mijn ballon gekregen?'
Ze pakt de foto en geeft er een smakkus op.

Jopie slaat zijn vleugels uit en fladdert op. Dan gaat hij weer op Tara's schouder zitten.

'Kijk Jopie, opa Bart,' zegt Tara en ze laat de papegaai de foto zien.

'O-p-a. Zeg het maar.'

Jopie zegt niets.

'Toe dan,' zegt Tara. 'Je kan het, hoor.'

En dan ineens gebeurt het. Ineens krast Jopie: 'OPA.'

'Goed zo!' roept Tara.

Ze geeft Jopie een kus op zijn zachte kop. 'Je bent de knapste papegaai van de wereld.'

'Lekker koppie thee!' antwoordt Jopie.

Voorlezen *op* www.leopold.nl

Tamara Bos & Sandra Klaassen – *Kowboy Kuuk en baby Totje*

Rindert Kromhout & Georgien Overwater – *Het grote boek van
Meester Max*

Hans Kuyper & Annet Schaap – *Fleur heeft de liefste juf*

Annemiek Neefjes & Alice Hoogstad – *Een ballon voor opa*

Selma Noort & Charlotte Dematons – *Beer in de klas*